Comment les
médicaments
peuvent-ils
soigner ?
pages **12-13**

Pourquoi
est-ce qu'on
a mal ?
pages **14-15**

Pourquoi
est-ce qu'on
n'aime pas
les piqûres ?
pages **22-23**

Pourquoi
saigne-t-on ?
pages **24-25**

Et si je dois
aller
à l'hôpital ?
pages **32-33**

Les adultes
ont-ils
les mêmes
maladies que
les enfants ?
pages **34-35**

Est-ce que
c'est ma faute
si je tombe
malade ?
pages **36-37**

Conception graphique : Emma Rigaudeau

www.editionsmilan.com
© 2011 Éditions Milan – 300, rue Léon-Joulin, 31101 Toulouse Cedex 9, France.

ISBN: 978-2-7459-4940-0 – Dépôt légal : 1er trimestre 2011 – Imprimé en Italie par Ercom

bobos et maladies

Textes de **Christine Naumann-Villemin**
Illustrations de **Stéphanie Ronzon**

MILAN jeunesse

C'est quoi **une maladie**?

D'habitude, ton corps est fort et solide. Tu ne penses même pas à lui... Mais parfois, il se fait attaquer par un microbe ou un virus et il est obligé de se battre pour triompher.

Beaucoup de maladies pourraient **disparaître** toutes seules, simplement en attendant. Mais c'est désagréable d'être malade, alors on se rend chez le médecin qui prescrit les médicaments qui vont aider l'organisme à se défendre.

Ton corps apprend vite : à force d'avoir des **rhumes** et des **angines**, il les reconnnaît et les chasse dès qu'ils approchent ! C'est comme ça qu'en grandissant tu es de moins en moins souvent malade.

Certaines maladies s'attrapent davantage quand on est petit, comme la varicelle ou les rhino-pharyngites, et d'autres concernent les personnes âgées... Parfois, l'affection est **contagieuse**, c'est-à-dire qu'elle passe d'une personne à l'autre.

Et si c'est grave ❓

Certaines maladies peuvent durer des années, et même toute la vie, comme le diabète, par exemple. Il arrive aussi que certains problèmes soient si graves que la personne en meure, malgré les traitements.

Comment attrape-t-on les maladies ?

Souvent, les maladies sont dues à des microbes qui entrent dans ton corps. Les microbes peuvent être avalés, respirés, ils peuvent même entrer par une petite blessure.

Les **microbes** (aussi appelés **bactéries** ou **virus**) sont de tout petits **organismes** vivants, comme de toutes petites bêtes. On ne peut les voir qu'avec un appareil spécial qui les grossit des milliers de fois : un **microscope**. Il y en a partout : dans l'eau, dans l'air, sur les objets...

Certains microbes rendent malades. L'organisme a alors besoin de se battre contre eux. Pour cela, il dispose d'une arme redoutable : le **système immunitaire**, avec ses soldats, les **globules blancs**.

La plupart des microbes ne sont pas dangereux, il y en a même de très **utiles** : par exemple, dans l'intestin, il y a des microbes qui t'aident à digérer.

Les globules blancs présents dans le sang attaquent la maladie. Et ce sont de sacrés **combattants**, bien plus costauds que les microbes ! Ils gagnent (presque) à tous les coups !

Comment le docteur peut-il deviner ma maladie ?

Lorsqu'on est en bonne santé, le cœur bat lentement, les poumons respirent facilement... Quand on est malade, certains organes montrent qu'il y a quelque chose qui ne va pas. Ainsi, en cas de fièvre, le cœur bat plus vite, lors d'une otite, les oreilles sont toutes rouges, la bronchite fait « ronfler » les poumons...

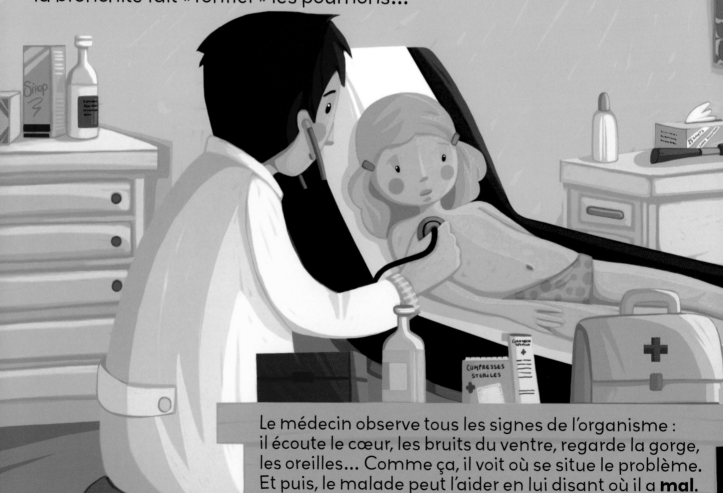

Le médecin observe tous les signes de l'organisme : il écoute le cœur, les bruits du ventre, regarde la gorge, les oreilles... Comme ça, il voit où se situe le problème. Et puis, le malade peut l'aider en lui disant où il a **mal.** C'est plus difficile avec les bébés !

Quand le médecin a compris ce qui n'allait pas, il rédige souvent une **ordonnance**. Il inscrit la liste des médicaments qui vont te soigner, la quantité que tu dois prendre et le temps du **traitement**.

Certains médecins ont des **spécialités** : ils ne voient que certains malades. Les pédiatres s'occupent des enfants, les allergologues soignent les allergies, les oto-rhino-laryngologistes traitent les otites, les rhino-pharyngites...

Quels sont les instruments du docteur ?

Le docteur a des outils : l'otoscope, pour les oreilles, le stéthoscope, pour écouter les bruits du corps, le tensiomètre pour le cœur et... ses oreilles et ses mains !

11

Comment les médicaments peuvent-ils soigner ?

Un enfant de 6 ans peut être malade plusieurs fois par an : angines, rhino-pharyngites, otites, gastro-entérites... C'est tout à fait normal : le corps a besoin de s'habituer à résister aux microbes. Parfois, on se sent si mal qu'on a besoin de prendre des médicaments.

Les médicaments agissent sur une cause : par exemple, sur la **fièvre**, sur les microbes ou sur la douleur. Il est important de bien respecter les consignes du docteur : c'est lui qui décide de la **dose** et de la **durée** du traitement.

Les médicaments se présentent sous différentes formes : en sirop, en cachets, en poudre, en suppositoires, en crème... Souvent, les enfants ne parviennent pas à **avaler** les cachets avant un certain âge, ce n'est pas grave, le même médicament existe avec une autre présentation...

Certains sirops ont un **goût affreux**, d'autres sont parfumés. Mais ce bon goût est trompeur : pris en trop grande quantité ou mélangés avec d'autres, les médicaments peuvent être **dangereux** ! Il ne faut jamais en prendre seul !

soin du corps   h   ale   vitamin

cosmétique   sale   puériculture

Qu'est-ce qu'un antibiotique ?

Un antibiotique est un produit qui va aider le corps à tuer les microbes ou les bactéries qui rendent malades. Lorsqu'on a juste un petit virus, ils sont inutiles : l'organisme est assez fort pour se battre tout seul !

13

Pourquoi est-ce qu'on a mal ?

Quand on est blessé ou malade, le corps envoie un message à ton cerveau pour le prévenir que quelque chose ne va pas. C'est la douleur de l'eau chaude sur ta main qui te prévient qu'il faut la retirer vite avant d'être brûlé. La douleur, ça peut être utile !

Dans ton corps, il y a des **nerfs**, un peu comme des fils électriques. Si le fil est attaqué, l'électricité remonte le long du fil, jusqu'au cerveau. Et là, le cerveau te prévient que quelque chose ne va pas : c'est la douleur.

Quand on est malade ou blessé, il y a aussi des **soins** qui peuvent faire mal (recoudre une plaie, faire une piqûre...), mais ne t'inquiète pas, les médecins savent comment te soulager.

Quand on a mal quelque part, il faut le dire à un adulte. Parfois on souffre beaucoup alors que ce n'est **pas grave** : par exemple, une otite est souvent très douloureuse...

Est-ce qu'on peut avoir mal sans être malade ou blessé?

On peut aussi avoir mal dans son cœur ou dans sa tête quand on se sent triste, seul, angoissé ou en colère. Là aussi, il faut le dire à quelqu'un en qui on a confiance.

15

Qu'est-ce que la fièvre?

Pour bien fonctionner, le corps de l'être humain est chaud : 37,2°C en moyenne. Lorsqu'on a froid, la température descend et quand on tombe malade, le thermomètre peut grimper et indiquer 38, 39 ou même 40°C !

En fait, la fièvre est bien utile car elle permet de lutter contre les microbes. Pour se défendre, le corps possède des cellules appelées globules blancs. Leur travail, c'est de combattre les **agressions**. Pour cela, ils ordonnent à l'organisme de se mettre à « chauffer ». Quand le corps est bien chaud, les globules blancs deviennent plus nombreux, donc plus forts.

Quand la fièvre commence à monter, on a froid. Lorsqu'elle descend, au contraire, on a chaud et on **transpire.**

Lorsqu'on est fiévreux, on a aussi des **frissons**, on peut avoir mal à la tête, à la gorge, on a sommeil... Le mieux, c'est de se mettre au calme, de bien boire et d'être patient !

On mesure la fièvre avec un **thermomètre.** On peut prendre sa température à plusieurs endroits du corps : l'oreille, la bouche, le front, sous le bras, l'anus...

Pourquoi est-ce qu'on a mal au ventre?

Avoir mal au ventre, c'est très fréquent : manger trop vite ou en trop grande quantité peut faire gonfler l'estomac. On peut aussi souffrir sans aucune cause dans le corps : lorsqu'on a peur de quelque chose ou qu'on a du chagrin, par exemple.

Le médecin ausculte le ventre pour sentir s'il est dur ou souple. Il écoute aussi les **bruits**. Cela lui permet de savoir si tout circule bien à l'intérieur.

Les gastro-entérites, les intoxications alimentaires et d'autres petits problèmes peuvent causer des **douleurs au ventre**. Il peut aussi arriver qu'on vomisse ou qu'on ait la diarrhée... Comme ça, on évacue ce qui rend malade ! C'est douloureux et pénible mais cela passe assez vite. Il faut éviter le **lait**, manger léger et se laisser chouchouter.

Si les maux de ventre s'accompagnent de fièvre, de douleur au côté droit, ça peut être l'appendicite. L'**appendice** est un petit organe situé dans le gros intestin. S'il s'infecte, il peut être nécessaire d'opérer.

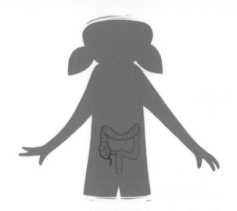

On peut aussi avoir mal au ventre parce qu'on n'est pas allé faire caca. À l'école, on n'ose pas toujours aller aux toilettes, on ne se sent pas vraiment tranquille. Mais il ne faut pas se retenir ! **Astuce** : emporte toujours dans ton sac un paquet de mouchoirs en papier !

Pourquoi suis-je allergique à mon chat ?

À chaque instant, le corps se défend contre des agresseurs, comme les microbes par exemple. Mais parfois, l'organisme se trompe d'ennemi : il entre en guerre contre des éléments sans danger. Cela peut être contre des aliments ou contre des choses touchées ou respirées. On dit alors qu'on y est allergique.

Si tu es **allergique** à un aliment, ton corps le reconnaît dès que tu en manges. Les lèvres ou les yeux peuvent gonfler, tu peux te mettre à tousser, ça peut gratter ou même empêcher de bien respirer.

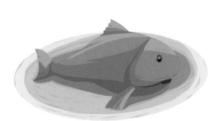

En cas d'allergie alimentaire, il est nécessaire d'**éviter** le produit qui rend malade. C'est pour cela que certains enfants ont un régime spécial à la cantine ou même qu'ils apportent leur déjeuner à l'école.

Les poils d'animaux (chats, chiens), la poussière et les acariens (petites bêtes vivant dans les tapis, les matelas...) provoquent parfois des allergies respiratoires qui peuvent donner de l'**asthme**, c'est-à-dire que les poumons se resserrent et tu ne respires plus bien.

Heureusement, il existe des traitements efficaces et même, souvent, on peut se faire **désensibiliser**, c'est-à-dire qu'on apprend à ton corps à ne plus lutter contre l'**allergène** : on lui en donne de toutes petites quantités, régulièrement, pour qu'il s'habitue.

Pourquoi est-ce qu'on n'aime pas les piqûres ?

Souvent, les enfants (et même parfois les adultes !) ont peur des piqûres. Ils imaginent que l'aiguille va être trop grosse, qu'elle va les transpercer ou rester coincée dans le corps, que le trou ne va pas se refermer, qu'on va leur prendre trop de sang... pas de panique : tout ça ne peut pas arriver !

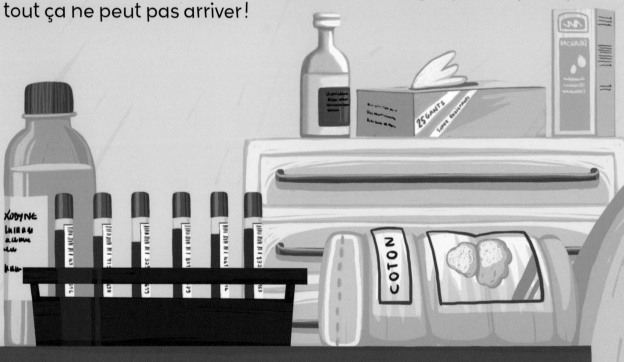

Tout le monde reçoit des piqûres, même les tout petits bébés. Et ça continue tout au long de la vie. Pour en avoir moins peur, c'est bien de poser des questions : est-ce que ça va piquer fort ? Combien de **temps** ça va durer ? On peut aussi s'installer dans les bras de ses parents et souffler doucement lors de l'**injection**. Il existe aussi une crème qui permet de ne rien sentir du tout.

Il y a deux sortes de piqûres : celles qui **prélèvent** une partie du corps, du sang par exemple, et celles qui **envoient** des produits, comme les vaccins.

Après un vaccin, on peut parfois avoir un peu de **fièvre** ou être fatigué. Ce n'est pas grave et ça ne dure pas longtemps.

À quoi sert un vaccin❓

Les vaccins permettent d'éviter d'attraper certaines maladies comme la rougeole ou la tuberculose. On envoie dans le corps une toute petite dose de microbes de cette maladie pour que l'organisme les reconnaisse et apprenne à s'en débarrasser tout seul.

23

Pourquoi saigne-t-on ?

Le sang est un liquide qui coule dans les veines et les artères. Il apporte à tes organes tout ce dont ils ont besoin pour bien fonctionner. Il circule dans les veines grâce au cœur qui fonctionne comme un moteur.

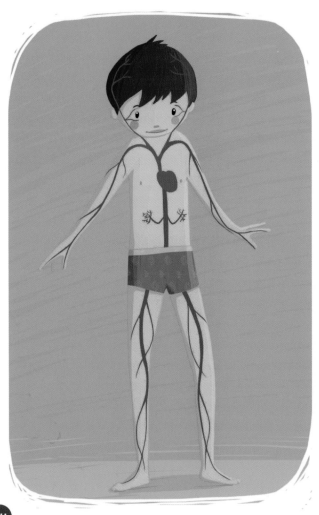

Dans le corps, un enfant a **3 litres** de sang bien rouge. Il a cette couleur parce qu'il transporte ce qu'on appelle des globules… rouges ! Ils contiennent du fer qui devient rouge en se mélangeant avec l'oxygène.

Lorsqu'on se blesse, on peut abîmer des petites veines, alors le sang s'écoule. Heureusement, il possède un pouvoir génial : un produit qui forme une **croûte** en quelques instants ! Comme ça, tu ne saignes plus !

Lors d'un choc, s'il n'y a pas de plaie, les petites veines peuvent craquer, alors cela saigne à l'intérieur. C'est ce que l'on appelle un **bleu**, ou un **hématome**.

À quoi servent les pansements?

Lorsque la peau a été ouverte, à cause d'une blessure par exemple, les pansements remplacent la peau. Ils nous protègent des saletés et des bactéries. En couvrant la plaie, ils empêchent une infection.

Avant de poser un pansement sur une blessure, il faut se laver les mains et bien nettoyer la plaie avec de l'eau et du savon, puis on met un peu de **désinfectant** pour tuer les microbes qui restent. Il existe des désinfectants qui ne piquent pas.

Lorsqu'on a eu un vaccin ou une prise de sang, il y a souvent une petite goutte de sang qui coule. Le pansement comprime les petits vaisseaux, ce qui arrête tout de suite le **saignement** et permet au petit trou de rester bien propre.

26

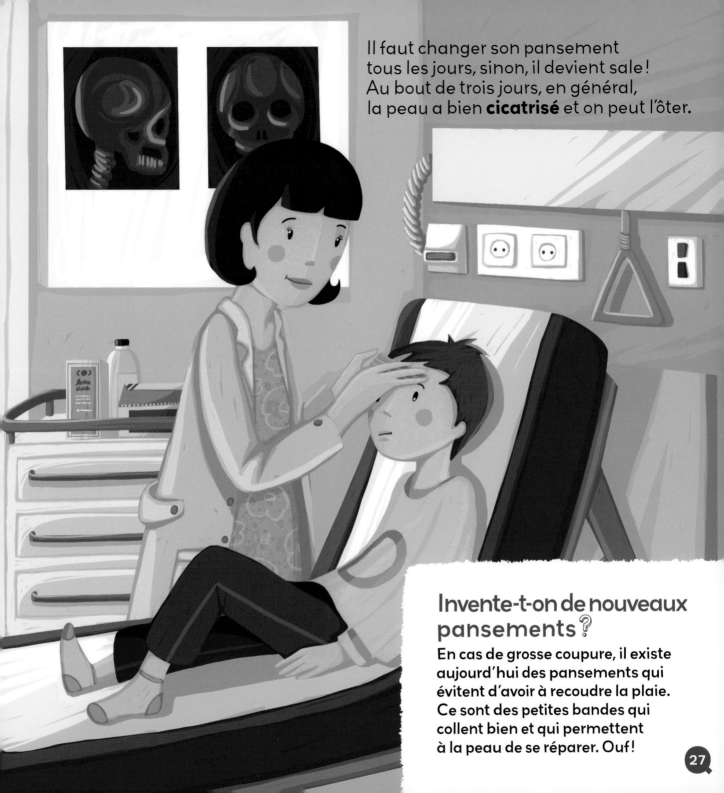

Il faut changer son pansement
tous les jours, sinon, il devient sale !
Au bout de trois jours, en général,
la peau a bien **cicatrisé** et on peut l'ôter.

Invente-t-on de nouveaux pansements ?

En cas de grosse coupure, il existe
aujourd'hui des pansements qui
évitent d'avoir à recoudre la plaie.
Ce sont des petites bandes qui
collent bien et qui permettent
à la peau de se réparer. Ouf !

Pourquoi a-t-on des boutons?

La peau est une enveloppe qui protège notre corps des dangers venus de l'extérieur. Elle est solide car elle doit se défendre des attaques du soleil, des blessures, de la chaleur, des maladies... Mais elle est aussi très sensible : alors parfois, elle se défend et tu as des boutons.

Certains enfants sont **allergiques** : à des aliments, à des plantes, à la poussière... On peut avoir alors des plaques de boutons. On peut se soigner, heureusement !

La **varicelle** ou la **scarlatine**, par exemple, donnent des boutons. Parfois, ils démangent. Il faut pourtant éviter de se gratter pour qu'ils ne s'infectent pas.

La peau est **vivante** : elle se renouvelle sans arrêt. Chaque année, tu perds environ 2 kg de peau. Cela représente un seau entier !

Comment disparaissent les boutons ?

Les boutons s'en vont petit à petit. La peau abîmée forme une croûte qui durcit et qui finit par « tomber ». La nouvelle peau qui pousse est toute neuve !

Qu'est-ce qui se passe quand on se casse un os ?

Une chute, une blessure ou un accident peuvent casser un os en deux ou plusieurs morceaux. Cela s'appelle une fracture. Lorsqu'on se fait une fracture, on s'en rend vite compte car cela fait mal. Mais pas de panique : le bras ou la jambe ne sont pas coupés, eux !

Les os sont **vivants** ! Ils ont besoin de calcium pour grandir et se renouveler. C'est pour cela qu'il faut manger des produits laitiers qui en contiennent beaucoup.

Pour voir où l'os est brisé, on passe une **radiographie**. Une fois que l'os a été remis en bonne place, il se peut que le médecin pose un plâtre pour empêcher l'os cassé de bouger.

BANDES PLÂTRÉES

3 ROULEAUX

Les os se **réparent** tout seuls ! En fait, les os « poussent » en permanence, de nouveaux os remplacent peu à peu les anciens qui sont usés. La plupart des os sont réparés en 6 à 8 semaines, encore plus vite chez les enfants qui ont des os plus souples !

À quoi servent les os ?

Les os servent à soutenir ton corps. Si tu n'en avais pas, tu serais tout mou ! Un adulte a 206 os.

Et si je dois aller à l'hôpital ?

Il arrive qu'on doive se rendre à l'hôpital pour se faire soigner ou pour se faire opérer. On peut aller à l'hôpital à n'importe quelle heure, c'est toujours ouvert et il y a toujours quelqu'un pour t'accueillir !

ACCUEIL

Les parents peuvent **rester** avec leur enfant la journée et la nuit, mais pour certains examens, on leur demande de sortir. Ça ne dure pas longtemps et les médecins et infirmiers ont l'habitude des enfants : ils sont gentils et doux.

Un hôpital, c'est **grand**, et tu vas sûrement aller dans plusieurs endroits : salles d'attente, salles de soins, radiologie… Tu as le droit de savoir ce qui se passe et ce qu'on va te faire : n'hésite pas à poser des questions !

Tu vas voir beaucoup de monde ! Toute la journée (et même parfois la nuit), des médecins ou des infirmiers viennent t'**examiner** ou te donner des soins. Pense à apporter de quoi te distraire entre-temps : jouets, livres et doudou.

Qu'est-ce qu'une anesthésie générale ?

Pour certains examens, ou pour une opération, il est possible que tu aies une anesthésie générale. Cela veut dire que tu vas être endormi pour ne pas avoir mal. Tu n'entendras rien, ne verras rien, et à ton réveil, tout sera fini !

Les adultes ont-ils les mêmes maladies que les enfants❓

Tout le monde peut tomber malade. Même les animaux et les plantes ! Les adultes peuvent avoir exactement les mêmes problèmes que les enfants : rhume, bronchite, otite, gastro-entérite. Mais il y a des maladies qu'on ne peut attraper qu'une seule fois, comme la varicelle, par exemple. Une fois qu'on l'a eue, le corps sait la reconnaître et la chasse immédiatement !

Les organes de notre corps vieillissent avec nous. C'est pourquoi les **personnes âgées** ont des troubles spéciaux. Par exemple, leurs os se cassent plus facilement, ils entendent moins bien, leur cœur peut être fatigué...

Certaines affections existent surtout dans certains pays. Par exemple, le **paludisme**, qui est transmis par un moustique spécial, est très fréquent en Afrique, mais ne s'attrape pas en France.

La **grossesse** n'est pas une maladie ! Même si la future maman est **fatiguée** ou a mal au ventre, elle est en bonne santé, il ne faut pas s'inquiéter !

Certains problèmes de santé peuvent durer **toute la vie**, comme le diabète ou l'asthme. On doit alors prendre un traitement tous les jours ou respecter des précautions (par exemple, éviter les choses auxquelles on est allergique). C'est parfois difficile d'y penser tout le temps...

Est-ce que c'est ma faute si je tombe malade ?

Non, bien sûr ! Tu n'es pas responsable ! Il y a même des maladies qu'il est préférable d'attraper lorsqu'on est petit : par exemple, la varicelle n'est pas grave chez les enfants, mais elle peut devenir très embêtante chez une grande personne.

Il y a des choses que tu peux faire pour rester en bonne santé. Par exemple, il est important de bien te **nourrir** : des fruits et légumes pour les vitamines, de la viande ou du poisson pour l'énergie, des produits laitiers pour tes os.

Le sommeil est très important aussi : c'est pendant que tu dors que tu **grandis** ! Et quand on est fatigué, on est plus **vulnérable**, plus fragile. Ne regarde pas la télévision au lit, cela t'empêche de t'endormir et peut te donner des cauchemars.

Lorsqu'il fait froid, habille-toi bien : couvre ton cou et tes oreilles, chausse-toi chaudement. En sortant de la **piscine**, pense à prendre un bonnet : c'est par la tête qu'on perd le plus de chaleur.

Lorsqu'on est malade, il est préférable de rester à la maison. Comme ça, tu peux dormir, récupérer tes forces, te faire un peu chouchouter. Et puis si tu es **contagieux**, tu protèges les autres !

Découvre
les autres titres
de la collection

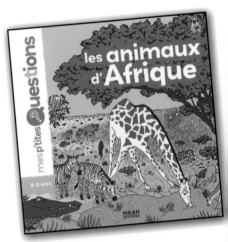